la **lechera**
the **milkmaid**

Published by Scholastic Inc., 90 Old Sherman Turnpike, Danbury, Connecticut 06816,
by arrangement with Combel Editorial.

ISBN-13: 978-0-545-02966-7
ISBN-10: 0-545-02966-X

JSNF
10-16

Illustrations copyright © 2004 by Mabel Piérola
Text copyright © 2007 by Scholastic Inc.
Spanish translation copyright © 2007 by Scholastic Inc.
All rights reserved.

12 11 10 9 8 7 6 5 4 3 2 1   7 8 9 10 11/0

Printed in the U.S.A.

First Scholastic printing, May 2007

la lechera
the milkmaid

Adaptación/*Adaptation* Darice Bailer
Ilustraciones/*Illustrations* Mabel Piérola
Traducción/*Translation* Madelca Domínguez

SCHOLASTIC INC.
New York Toronto London Auckland Sydney
Mexico City New Delhi Hong Kong Buenos Aires

Había una vez una niña que vivía con su familia en una granja. Su casa estaba rodeada de prados verdes que se extendían hasta perderse de vista. En la granja había una docena de vacas pintas.

Todos los días, la niña se levantaba para dar de comer a las vacas y ordeñarlas.

———

Once upon a time, a little girl lived with her family on a dairy farm. Her house was surrounded by green fields that rolled for miles. Her barn housed a dozen speckled cows.

Each day the girl woke up early to feed the cows and milk them.

8

Una hermosa mañana, la pequeña lechera salió
a hacer sus labores. Ordeñó las vacas sentada en un
banquito de madera, echando la leche en cubos. De vez
en cuando regañaba a los gatitos que se acercaban para
tomar la leche.

*One fine, bright morning, the little milkmaid went
about her chores. She sat down on a little wooden
stool next to each cow, spraying warm milk into her
pails. She scolded the kittens when they drank her
milk.*

Cuando terminó de ordeñar la última vaca y llenó
el último cubo, fue a la ciudad a vender la leche. La
pequeña lechera vació cada uno de los cubos en una
jarra de madera y la colocó sobre su cabeza.

*When the last cow was milked and the final gray
pail filled, it was time to take the milk to the city and
sell it. The little milkmaid carefully poured each pail
into a wooden jug and placed the jug on her head.*

La ciudad quedaba lejos, así que la niña se puso
a cantar una canción:

"Tengo leche para vender, tra-la-la-la-la.

Y la venderé, tra-la-la-la-la.

Y me compraré una gallina que pondrá huevos
y tendrá polluelos, tra-la-la-la-la".

*It was a long walk to town, and the girl sang
this little song:*

"Oh I have some milk to sell, tweedle-dee!

And I will do very well, you'll see! Tweedle-dee!

*I'll buy a hen who will lay some eggs and hatch
some chicks for me! Tee-hee!"*

Cada vez que la pequeña lechera llegaba a una curva en el camino, le añadía más estrofas a la canción.

"Y los polluelos crecerán, tra-la-la-la-la, y me compraré un cerdo, tra-la-la-la-la".

As the little milkmaid rounded each bend in the road, she added more words to her song.

"My chicks will grow quite big, tweedle-dee, and then I'll buy a pig for me, tee-hee!"

La pequeña lechera saltaba de alegría, levantando el polvo del camino con sus zapatos y soñando con el futuro.

"Tengo leche para vender, tra-la-la-la-la.

Y me compraré una gallina y un cerdo, tra-la-la-la-la".

The little milkmaid skipped along happily, kicking up clouds of dust with her shoes, still dreaming of the future.

"Oh I have some milk to sell, tweedle dee!

And I'll buy a hen and pig for me, tee-hee!"

"Será muy divertido jugar con una gallina y un cerdo—pensó la niña—, pero quizás podría vender el cerdo y comprar algo mejor.

Cuando el cerdo crezca, tra-la-la-la-la.

Me compraré un ternero, ya verás".

It would be fun to play with a hen and a pig, *the girl thought*, but maybe I can sell that pig and buy something even better!

"When my pig porks up, you'll see...
I'll buy a calf for me!"

La pequeña lechera saltaba cada vez más alto
y cantaba a toda voz para que todos los pájaros y
las abejas del cielo la pudieran escuchar.

—⌇⌇⌇—

*The little milkmaid was kicking her heels high
now, singing at the top of her voice so that every
bird and bee in the sky heard her.*

La pequeña lechera bailaba y saltaba tan alto que se le olvidó la jarra de leche que llevaba en la cabeza. Solo pensaba en el dinero que ganaría cuando llegara a la ciudad.

The little milkmaid was jumping and kicking her heels so high that she forgot all about the pail of milk on her head. All the little milkmaid could think of was the money she would earn when she reached the city.

Con los ojos en el cielo y sus sueños flotando en
la cabeza, la pequeña lechera no vio una roca grande
que había en medio del camino. La niña tropezó con
la roca, se tambaleó y cayó. La jarra de leche cayó
al suelo y se rompió y la leche se derramó.

*With her eyes to the sky and dreams floating in
her head, the little milkmaid didn't see the big rock
right in the middle of the path. The girl tripped on
the rock, stumbled, and tumbled, head over heels.
The pail of milk fell against the ground and broke,
spilling milk everywhere.*

Pobre lecherita. Hoy no podría comprarse una gallina, un cerdo o un ternero.

La niña se levantó, dio media vuelta y comenzó el camino de regreso a casa. Al día siguiente ordeñaría las vacas y volvería a soñar.

———⌯∞∞⌯———

Poor little milkmaid! Today she would not buy the hen, the pig, or the calf.

The girl picked herself up, turned around, and walked back home. Tomorrow she would milk the cows and dream of touching the clouds again another day.